# 前言

随着时代的发展，书法作为我国的一种国粹，在各行各业中的需要显得尤为重要，就连外国友人也不惜飘洋过海来中国研习书法。

为便于初习书法者从多角度了解书法文化的博大精深，编著本书时收集了被国人公认为书法瑰宝的颜真卿的《多宝塔》、《家庙碑》、《勤礼碑》。分别从笔画、笔画组合、字体结构等方面加以说明，真正做到由点到面，由浅入深的规律，并采用最新发明的圆形米字格和传统米字格相结合的对照写法，清楚明了，使习字者能够准确地把握汉字的结构特点，便于研习临摹。

总结编著本书的感受，故特定书名为《名家书法宝典》。由于编著时间仓促，加上编著者对书法研究的水平限制，所以书中难免有错误和缺点，敬请书法专家及爱好者批评指正。

编著者

二〇〇二年三月

# 练字须知

一、写字姿势

正确的写字姿势不仅有益于身体健康，而且为学好书法提供基础。其要点有八个字：头正、身直、臂开、足安。

头正：头要端正，眼睛与纸保持一尺左右距离。

身直：身要正直端坐、直腰平肩。上身略向前倾，胸部与桌沿保持一拳左右距离。

臂开：右手执笔，左手按纸，两臂自然向左右撑开，两肩平而放松。

足安：两脚自然安稳地分开踏在地面上，分开距离与两臂同宽，不能交叉，不要叠放。（如图一）

图一

写较大的字，要站起来写，站写时，应做到头俯、腰直、臂张、足稳。

头俯：头端正略向前俯。

腰直：上身略向前倾时，腰板要注意伸直。

臂张：右手悬肘书写，左手要按住桌面，按稳进行书写。

足稳：两脚自然分开与臂同宽，把全身气息集中在毫端。

二、要写好毛笔字，必须正确掌握执笔方法，古来书法家的执笔方法是多种多样的，一般认为较正确的执笔方法是以唐代陆希声所传的五指执笔法。

按：指大拇指的指肚（最前端）紧贴笔管。

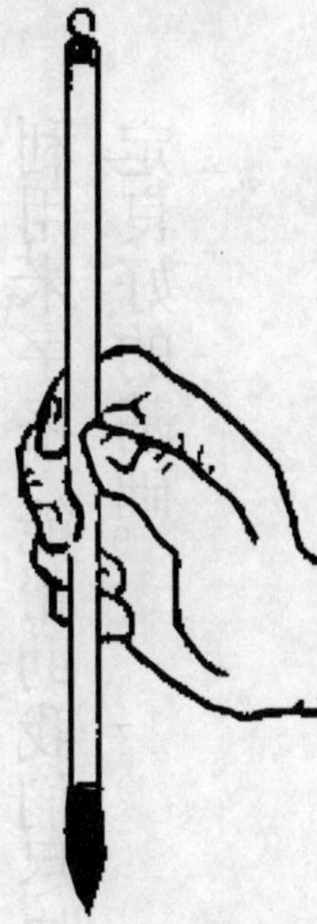

图二

押：食指与大拇指相对夹持笔杆。

钩：中指第一、第二两节弯曲如钩地钩住笔杆。

格：无名指用甲肉之际抵着笔杆。

抵：小指紧贴住无名指。

书写时注意要做到『指实、掌虚、管直、腕平』。

指实：五个手指都起到执笔作用。

掌虚：手指前紧贴笔杆，后面远离掌心，使掌心中间空虚，中间可伸入一个手指，小指、无名指不可碰到掌心。

管直：笔管要与纸面基本保持相对垂直（但运笔时，笔管是不能永远保持垂直的，可根据点画书写笔势，而随时稍微倾斜一些）。（如图二）

腕平：手掌竖得起，腕就平了。

一般写字时，腕悬离纸面才好灵活运转。

执笔的高低根据书写字的大小决定，写小楷字执笔稍低，写中、大楷字执笔略高一些，写行、草执笔更高一点。

毛笔的笔头从根部到锋尖可分三部分（如图三），即笔根、笔肚、笔尖。运笔时，用笔尖部位着纸用墨，这样有力度感。如果下按过重，压过笔肚，甚至笔根，笔头就失去弹力，笔锋提按转折也不听使唤，达不到书写效果。

三、临帖要求

（一）字帖放置于书案左上方，如备有临帖架最好，可放在正前方。砚台放在右上方，练习用纸正对自己，不能

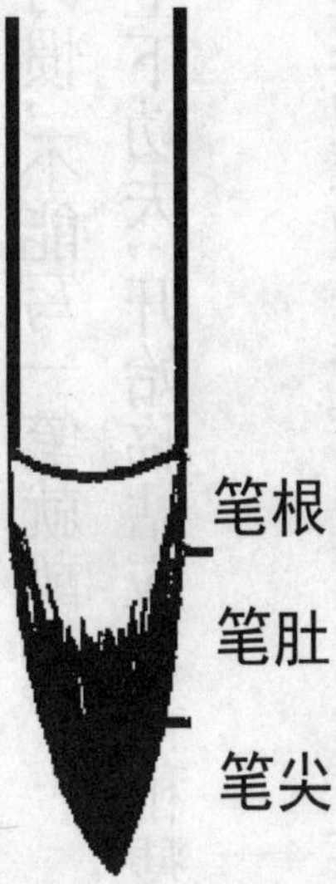


图三

歪斜，书写时可上下左右移动。

（二）墨不宜蘸得太饱，养成一笔墨写完后再蘸墨的习惯，不能写一笔就蘸墨。

（三）字不能写得太肥或太瘦。学习书法要在『韧劲』上下功夫，开始临帖应写得稍瘦一些，书写以慢为宜。

（四）书法格式为从上到下竖写，先写完右边一行，再接写左边一行。

（五）每天的临帖时间应保证半小时以上，至少应写二十字，节假日也不要间断。当然，如欲在书法上有所成就，这点时间是很不够的。

一般点画都是起笔藏锋，收笔回锋，中段缓缓运行。初学可参照点画运笔动作图示，但请千万注意这只是为初学方便而提供的动作分解图示。事实上点画的运笔都是一笔呵成的，决不是简单的机械动作的重复。因此，临写点画既不能信手涂鸦，也不能像木偶一样僵化。一定要在教师的指导下，在临习中逐渐领悟笔法，否则，一旦形成习气，纠正起来就不容易了。

（六）字的结构要经过较长时间的临习才能掌握。应先看清楚所写的字后再下笔，尽量养成看一个字写一个字的习惯，不能看一笔写一笔。特别要注意第一笔的起笔位置。初学只要把字工整地写在格子中间就算达到目的。

（七）米字格是供临习书法用的界格纸，便于临帖时对照范本字形，掌握点画位置，充分利用米字格，能帮助我们尽快掌握字的结构安排，把字写得端正、匀称，为过渡到『背临』奠定良好的基础。

# 关于圆格说

我国书法临摹用格，最初是九宫格。清朝时，又有人用长格、短格、三层格，用来临摹长短大小各种不同结构的字。继后，又有米字格和田字格等。米字格的出现是一大进步，添加的斜线使它具有三个明显的优点：一是线条简明；二是中心明确；三是便于察看全字的整体结构和点画分布的形势。

但是，所有这些临摹用格的设计，都有一个共同的特点，其外围是方形的。这是基于一个根深蒂固的认识，即汉字是方块字。

然而，『方块字』这一提法的准确理解应该是写在方块（方框）里的字，决不可把它们的外形就同『方』完全等同起来。几何学告诉我们，不在同一直线的三点可以确定一个圆，而一个圆可以有无数个内接多边形。汉字楷书外虽方而内实圆，浑浑沌沌，个个都形圆而不可破。所以楷书的结构外形是『既方且圆，方中见圆』。有人问：『难道「一」字是圆的吗？』其实，两点确定一条直线，任何一条直线，像『一』字，都可以成为相应圆的直径，『那么「国家」的「国」呢？是方还是圆？』『国』本身是方的，但当书法家书写在特定的方框里时，绝不会塞满全框，总是要比方框小一圈，成为圆的内接矩形。

楷书字形外圆，既是书法家书写时『圆出臂腕』的结果，也是追求美学价值的必然。什么样的线条最美呢？给人以平静坦荡感觉的水平线，富有阳刚之气的垂直线……但最美的还数曲线。英国著名画家荷迦斯说『蛇行线赋于美以最大的魔力』。什么样的平面最美呢？方形庄重、稳定；三角形锐利、威严……但给人以美的最大享受的是圆。这个从中心向四周作等距离伸展的、可大可小的、有虚有实的美的使者——圆，具有十分鲜明的形象性，异常强烈的感染力和无限丰富的创造欲。它单纯统一、对称均衡、活泼和谐、完美丰满。它超越时间、空间，对不同肤色、不同种族、不同国籍的任何人都具有永恒的魅力。

中国书法——楷书，正具有这种种美。

孙过庭说：『违而不犯，和而不同』，这当然不只是书法范畴的至理名言，它必然也是一切形式美的重要法则。字要写得『违而不犯』，不犯什么呢？孙氏说了个『和』字，《三国演义》第二十九回就有这个字眼：『众将俱曰：主公玉体违和，未可轻动。』

字要写得和，却又要求『和而不同』，谁要反其道来个『同而不和』，更糟！夫子曰：『君子和而不同，小人同而不和。』这个如此显赫的中心词『和』，在楷书中有什么内涵呢？书法家苇白提出十六个字：『精魄团结，神不外放；圆不可破，气满胸腔。』苇白认为，什么『天覆地载，回互留放』，什么『回抱曲势，忌耸防阔』，什么『五十六变』也罢，其实『太繁则乱』。许多先辈的结字之法，诸如『为书之体，须入其形』的『形』，『包裹斗凑，不致失势』的『势』，『结构点画，或有失趣者，则以别点画旁救』的『救』，都和圆密不可分。

在八十年代初，苇白根据楷书字体外形『既方且圆，方中见圆』这一理论，设计了新的临摹用格——圆形米字格，简称圆格。圆形米字格的出现，使中国书法临摹用格取得重大的突破。采用圆格临摹，有利于控制字的外形，避免把字写得过于方正的通病，加深了对楷书字形结构的理解，形成字形圆美的意念，达到较为理想的效果。

本书采用了部分圆形米字格，希望能为初学者在临摹时提供方便，减少难度，提高效果，形成字形圆美意念，为今后书写一手漂亮的祖国文字奠定坚实基础。

# 颜真卿与《颜勤礼碑》等

颜真卿（709-785），字清臣，京兆万年（今陕西西安）人，祖籍琅琊临沂（今山东临沂）。曾出任平原太守，封鲁郡开国公，故世称『颜平原』、『颜鲁公』。安禄山叛乱，他联合堂兄抵抗，被推为盟主，合兵二十万，使安禄山不敢急攻潼关。德宗时，李希烈叛乱，他被派前往劝谕，为希烈缢死。他博学多才，精通词章，其书初学褚遂良，后从张旭得笔法，自成博大雄浑的体势，形成以『筋』为主的『颜体』风格，素有『颜筋柳骨』之称。他是中唐时期的大书法家。

《颜勤礼碑》，是颜真卿71岁时为其曾祖父颜勤礼所书的神道碑，立于779年（唐太宗14年），宋元祐间佚。此碑是颜真卿晚年的佳作，其书法艺术已趋于完全成熟时期，通篇气势磅礴，用笔苍劲有力，充分显示了『颜体』风格。

颜体的笔画特点：藏锋起笔，中锋行笔，回锋收笔，起笔易方为圆，捺的收笔是燕尾状，有『蚕头燕尾』之说。横撇轻，竖捺重，对比强烈，用转不用折，呈『圆肩』状，竖钩并列时，常使其左直右曲，富于变化。

其结构特点：笔画组合取相向结构，常通过笔断意连来体现豁达大度的风格，看似形散而神不散，结构多为上轻下重，上合下开，犹如宝塔矗立，雄健而稳重，气势开张恢弘。

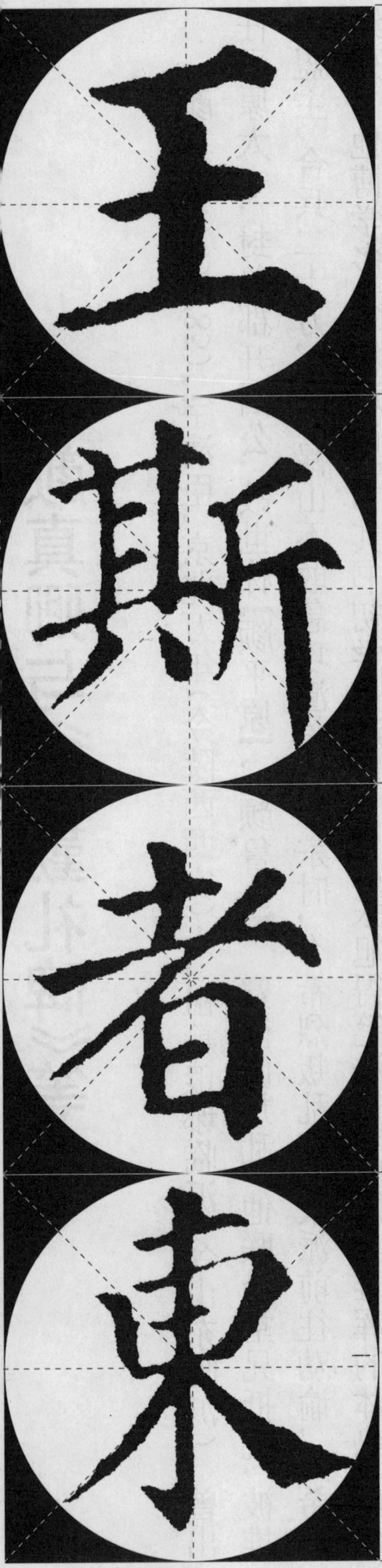

## 横画

逆锋起笔，向右下按笔，折转向右，中锋涩行，收笔处笔先提起上昂，然后向右下顿笔，最后回锋收笔。

## 竖画

逆锋起笔，折笔向右下按，折笔向下，转中锋向下涩行。收笔之处，悬针竖直接轻提出锋，垂露竖则先要提笔靠左，然后向右下作顿，最后回锋收笔。

## 撇画

逆锋向右上起笔，折转向右下按，折笔向左下撇出。运笔由重而轻，力送笔端。行笔微曲，出锋之处不滞不浮。

## 捺画

逆锋起笔，掉转笔锋向右下行，逐渐加力铺毫，磔处重按后折笔向右渐提出锋。

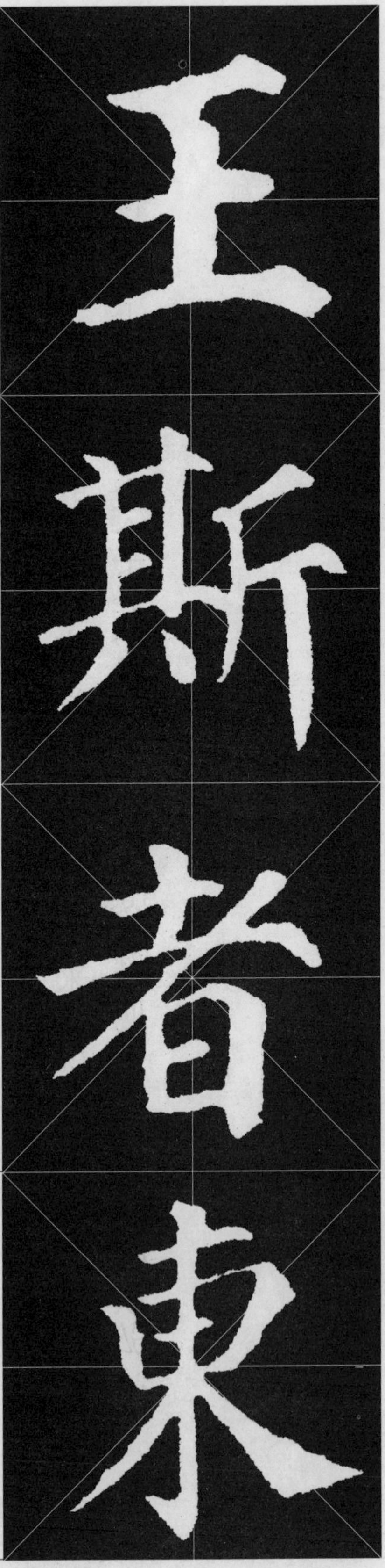

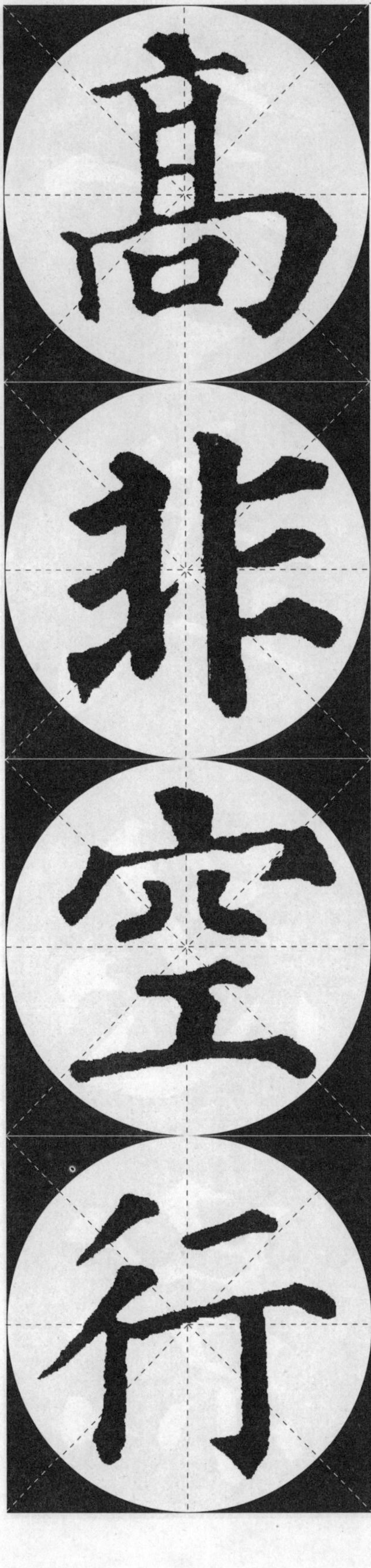


## 折画

起笔如同横画，写到折角处笔要轻提上昂，笔尖不离纸。接着向右下重按，最后折笔向下作竖。

## 挑画

逆锋起笔，折笔向右下顿笔，折笔向右上涩行，由重而轻，出锋收笔。

## 横钩

横画写到末端笔锋轻提上昂，向右下顿笔作点，提笔回锋复按下，调锋蓄势，最后用侧锋向左下出钩。

## 竖钩

竖画写到末端，将笔轻提到左下方，笔锋前段轻轻顿挫，提笔向上然后按下作一调锋动作，最后用侧锋向左上钩出。

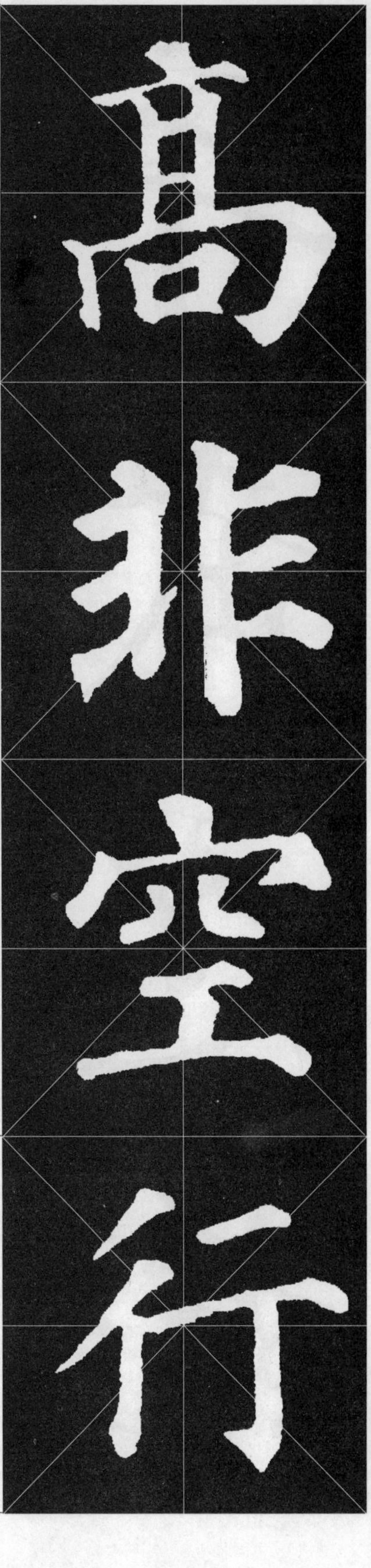

## 弧钩

弧钩的写法与竖钩基本相同，唯竖段微曲，头与脚弯曲比较明显。

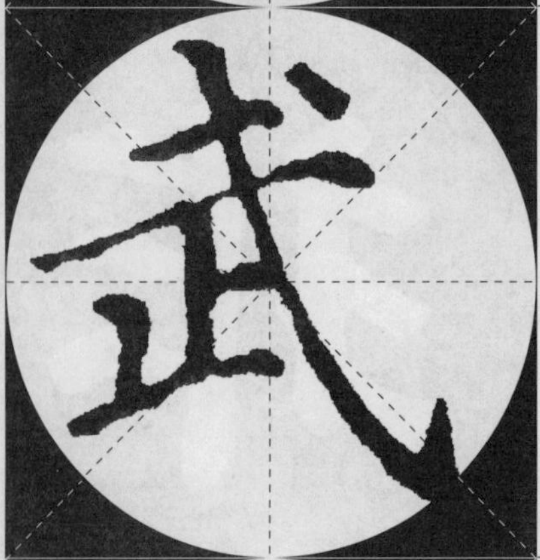

## 斜钩

逆锋起笔，折笔向右按，折转向右下涩行，末端笔轻提向右，笔锋前端稍作顿挫，提笔向左回锋后又向右按下，此为调锋蓄势，最后向上出钩。

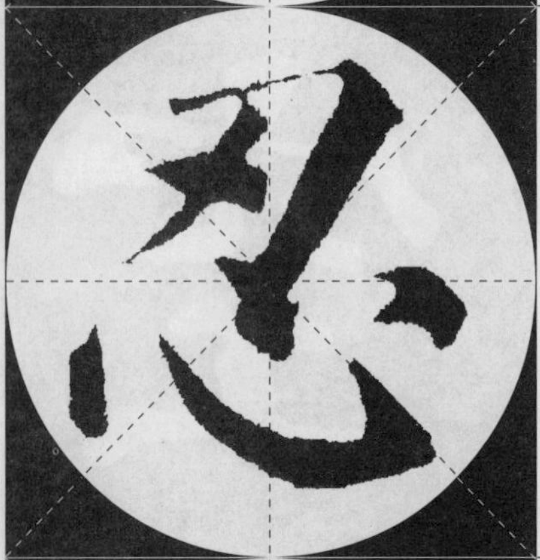

## 卧钩

顺锋起笔，由轻而重向右下曲行，逐渐转向右上，末端笔锋轻提，轻轻顿笔，调锋蓄势后向左上出钩。

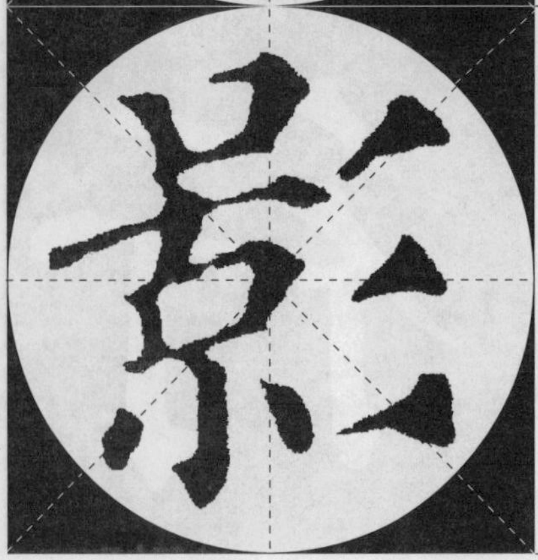

## 撇点

先向右下顿笔作点，调锋蓄势后向左下撇出。

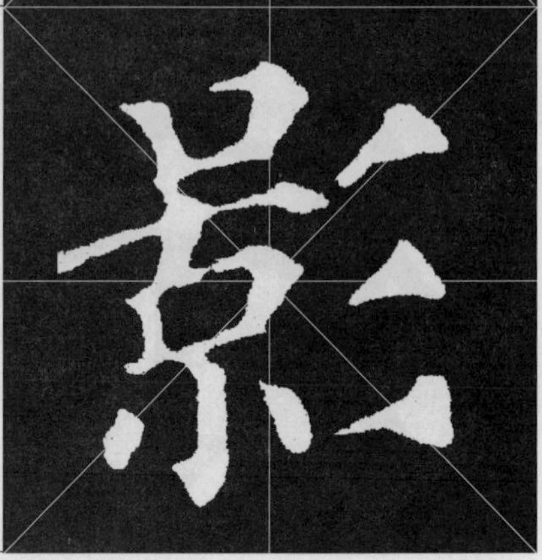

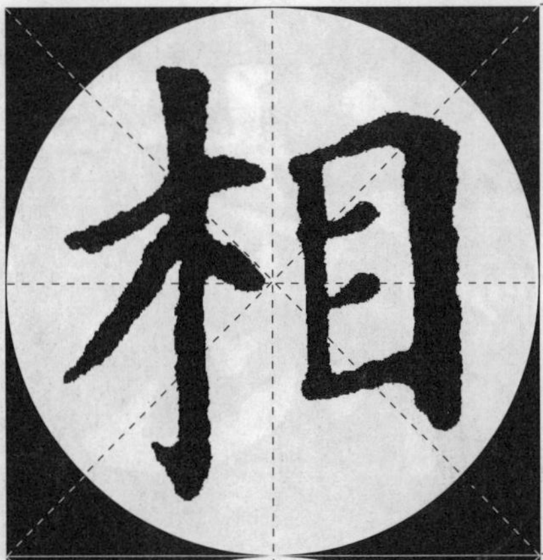


## 木字旁

横画左重右轻，左长右短。竖画要偏横画右端书写，方可使横画右端显得收敛。竖画收笔时常作钩。撇画略显舒展，捺画缩为一点。整个偏旁放左而敛右。

## 提手旁

提手旁的书写要领与木字旁相似，主要注意敛右。

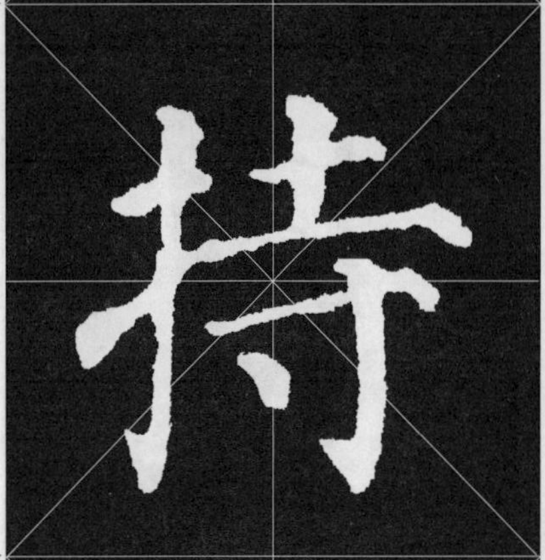

## 单人旁

单人旁一撇起笔较重，为斜撇。竖画顶着撇画腰部写，用垂露竖。

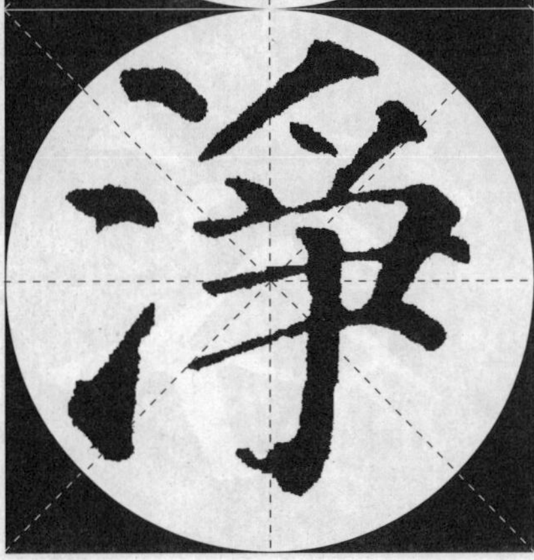


## 三点水

第一点稍偏右，第二点稍偏左，第三点在第二点的垂线下方写。第三点写作挑，挑的笔势要与字的右边的第一个笔画前后呼应，笔意相连。

## 双人旁

一般情况下第一撇短而重，第二撇斜而长。两撇的斜度略有区别。竖画用垂露竖，顶着撇画的腰部起笔，要支撑得起上面两撇。

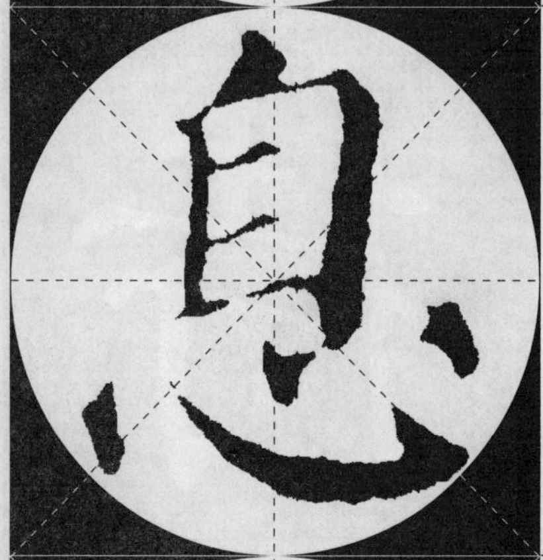


## 心字底

左点微微向右下倾斜，卧钩微凹，比单独写心字稍显直而平坦些。中间一点与最后一点前后呼应，笔势相连。

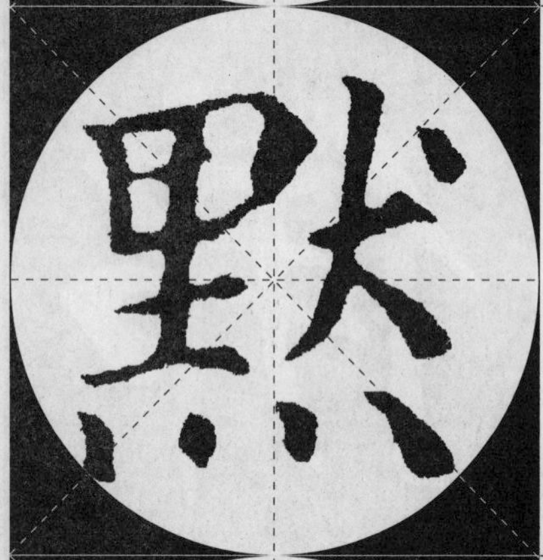


## 下四点

下四点的四点姿态应有变化，前后呼应。

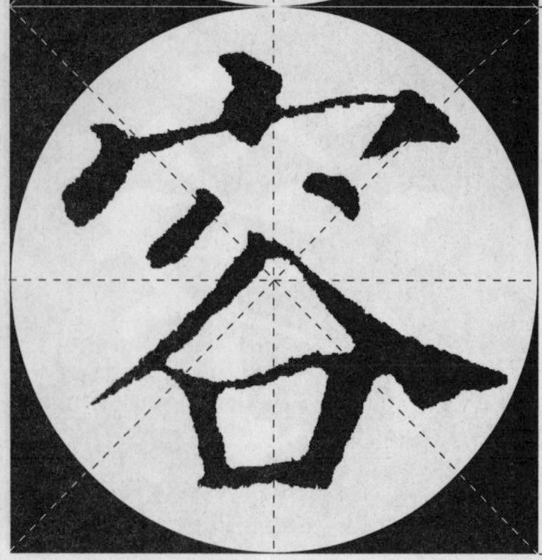


## 宝盖头

写宝盖头时须注意，如果它下面的部分较小，宝盖头就要将其覆盖；如果下面的部分宽大，那么宝盖头就不须完全覆盖，防止把字头写得过于宽大。

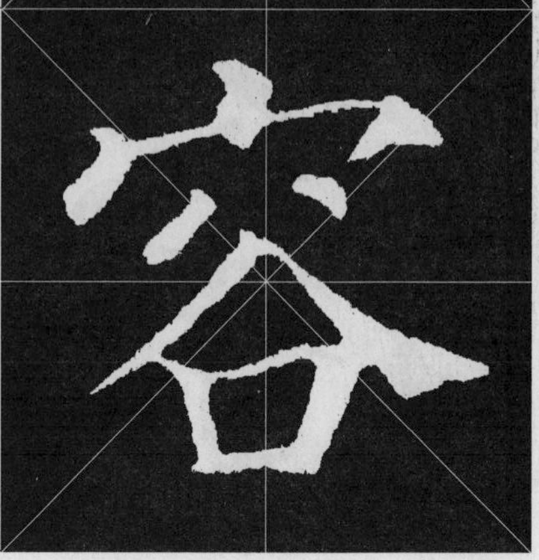

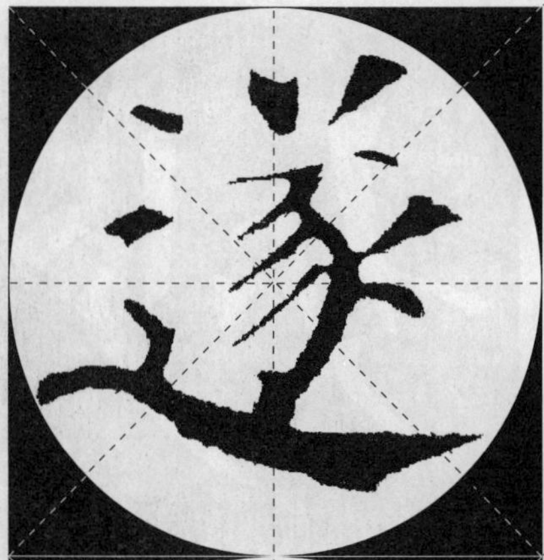

## 走之底

点画稍跳上一点。横折撇形体要短，横画极短，稍有横的意思即折笔作撇。下面的弯撇弧度须小，不能太弯曲。捺画要一波三折。

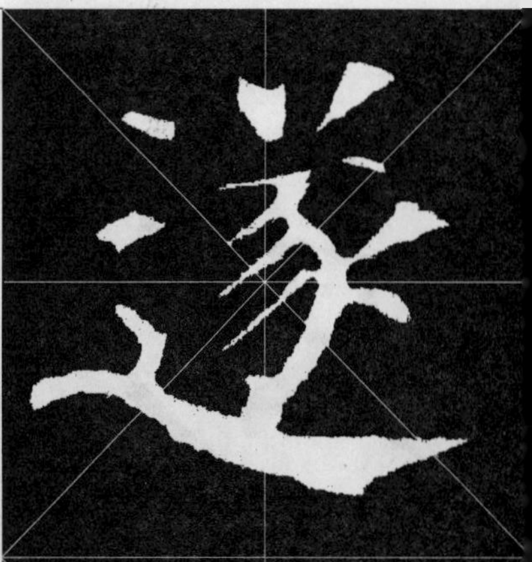

## 王字旁

王字旁下横写作挑。因此较短小，位置应略偏上。

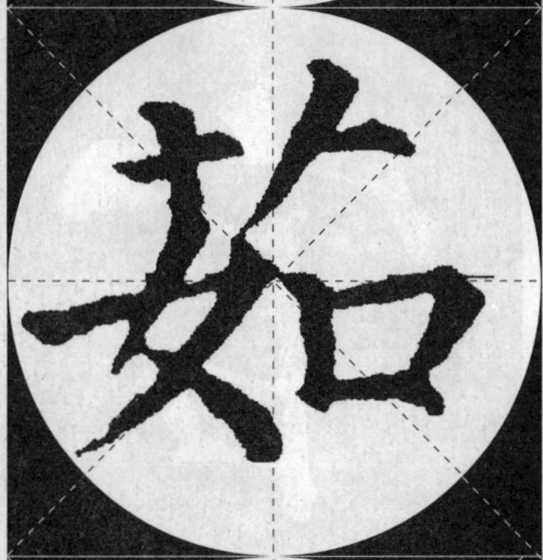

## 草字头

草字头和竹字头要以中线为准，左右对称。

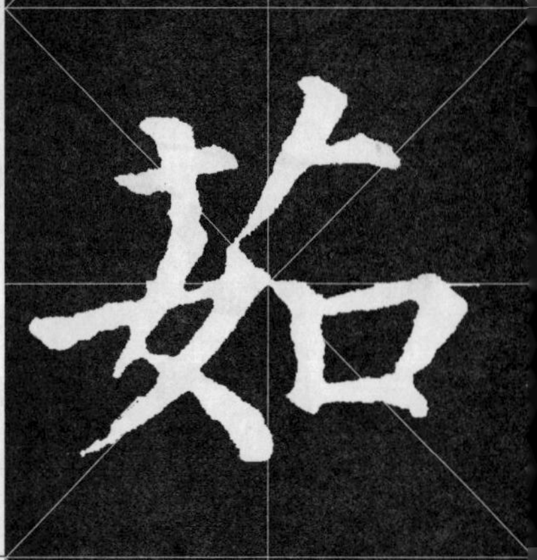

## 雨字头

位置居中，要基本覆盖住下边的部分。雨字头的四点笔势前后相连，看得出运笔的来龙去脉。

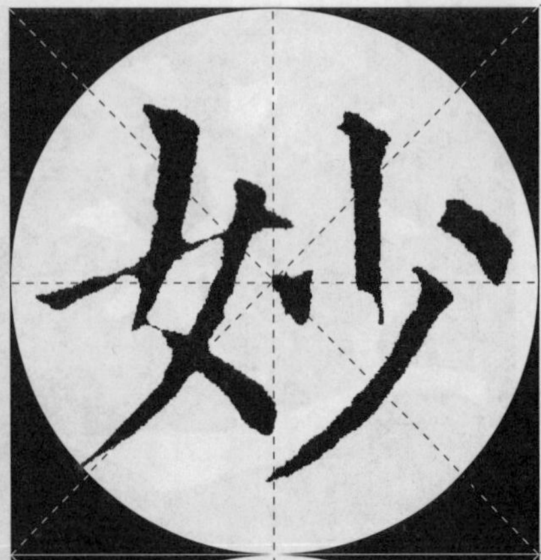

## 女字旁

女字旁的笔顺是先写撇折，次写右撇，最后写挑。

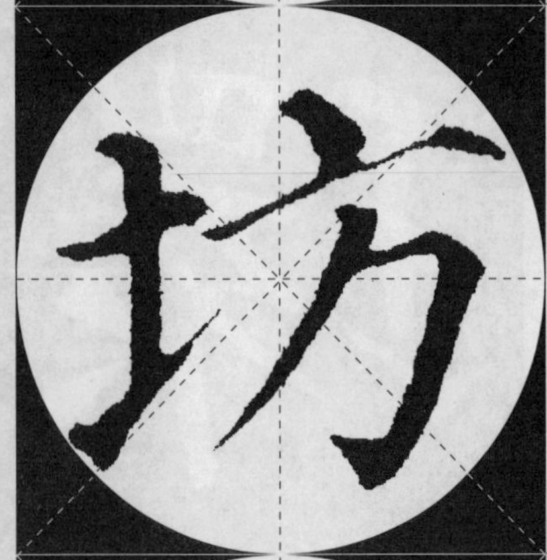

## 土字旁

土字旁与女字旁属于比较短小的偏旁，如果字右边部分高长的话，左侧的偏旁就应该偏上一点。

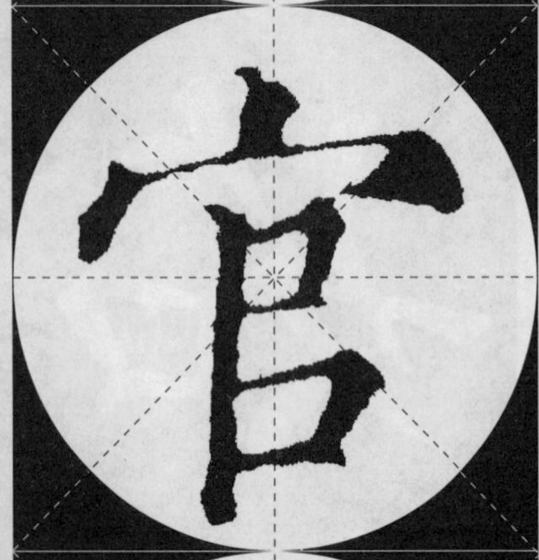

## 方头点

逆锋向左上，折笔向上，折笔向右下重顿，折轻向下，稍轻提作顿，回锋收笔。

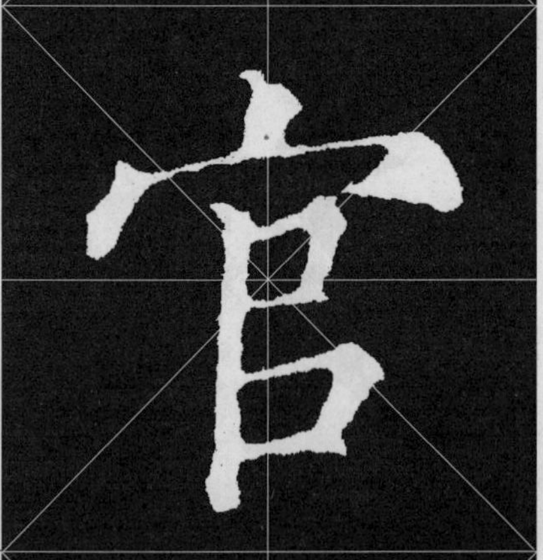

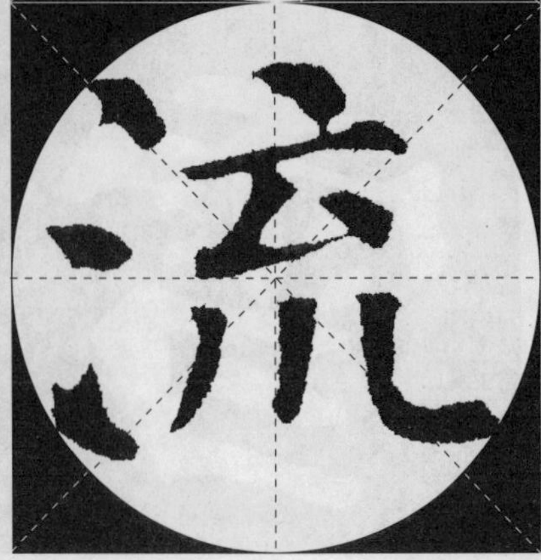

## 杏仁点

顺锋起笔，由轻而重向左下按，提笔到右侧，再向下顿挫，最后回锋收笔。

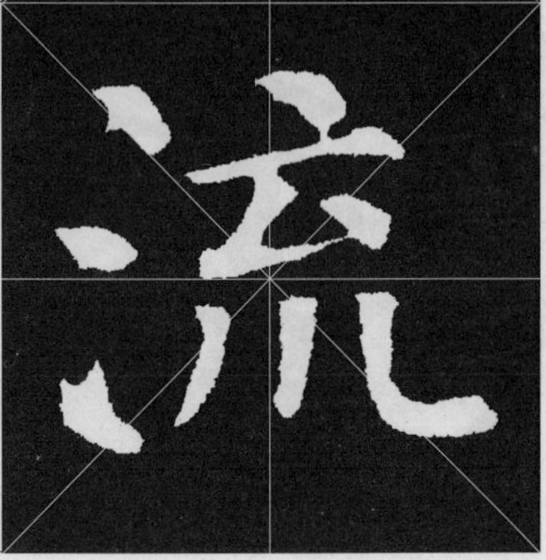

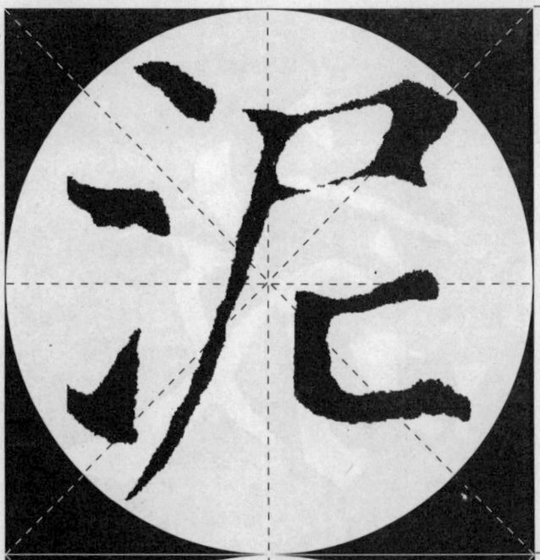

## 浮鹅钩

起笔如同竖画，先向下方，或微微偏左行笔，弯转向右，末端笔锋轻提上昂，调锋蓄势后向上出钩。

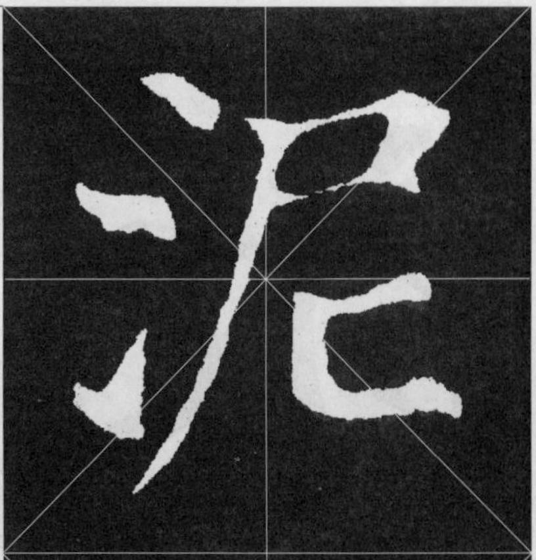

## 绞丝旁

绞丝旁、土字旁与女字旁都属于比较短小的偏旁。

## 立刀旁

立刀旁的短竖位置稍偏上，竖钩比较高长。

## 金字旁

金字旁将金字的捺收缩为点，下横写作挑。注意敛右。

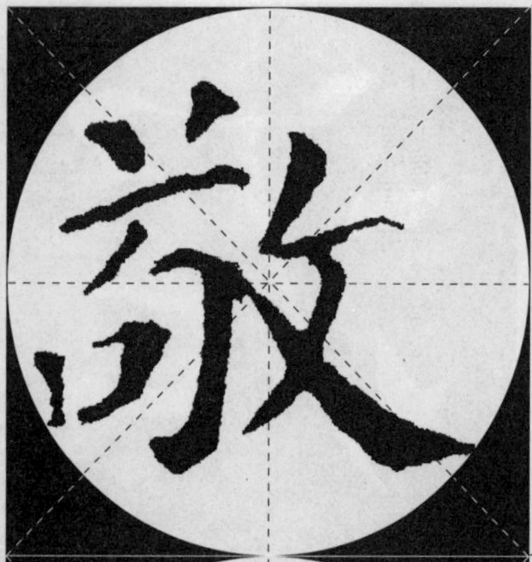

## 反文旁

两撇的姿态要有变化，一直一曲，一轻一重，一长一短。捺画长而重。这一捺画既要考虑与反文旁撇画的对应关系，更要注重与整个字左侧的对称平衡。

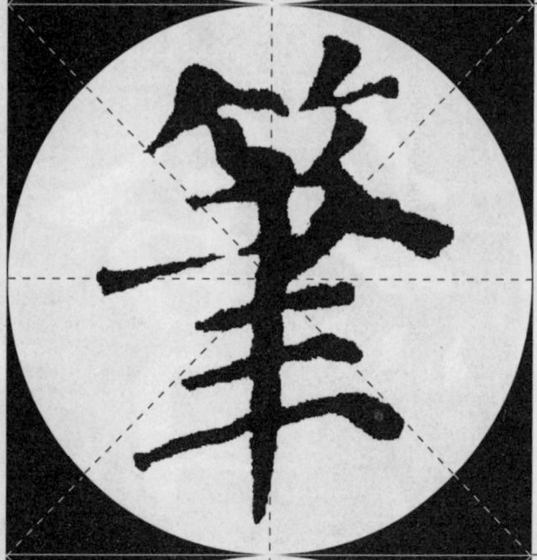

## 竹字头

竹字头和草字头相同，也要以中线为准，左右对称。

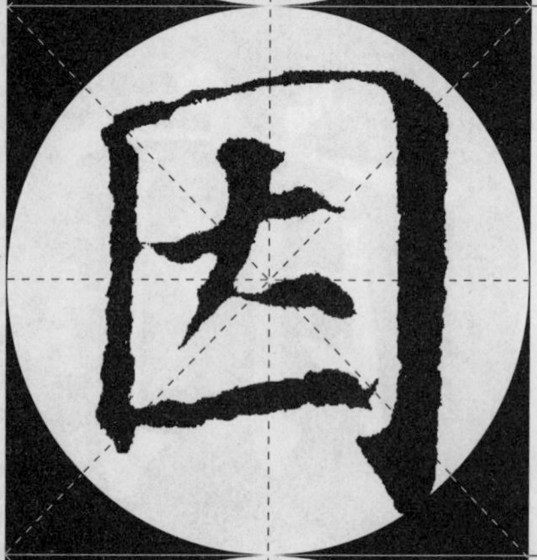

## 字框

字框用于包围结构的字，字框的大小要合适。写全包围的字框时，不能完全封闭，要留有透气的地方。框内布白要均匀。

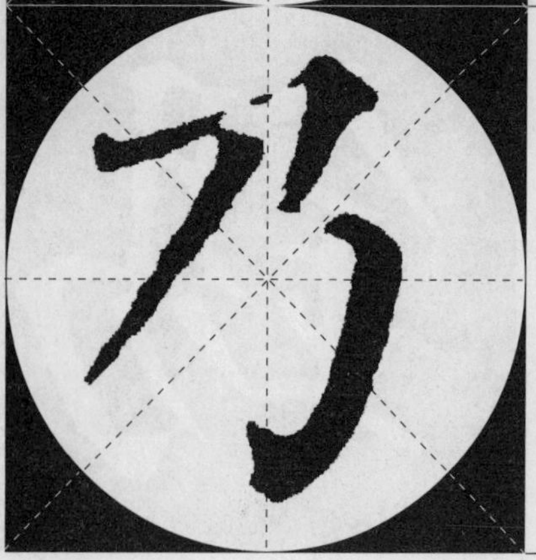

## 结构要领之一 随体赋形

楷书字的形状大多呈长方形，但是也有不少字形状各异，书写时要顺其自然，随体赋形，不能强求一律。不同类型的字所占田地

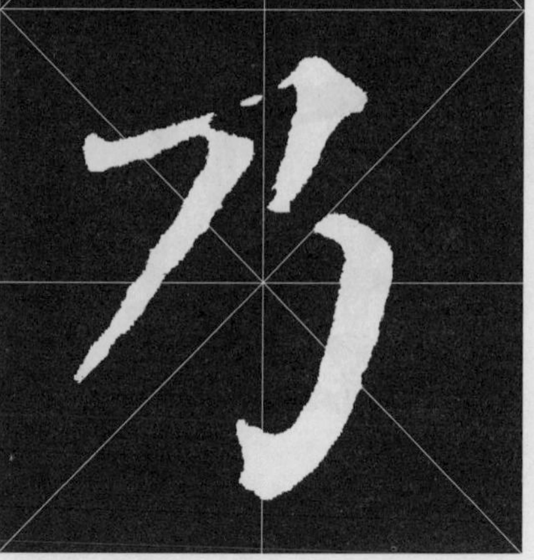

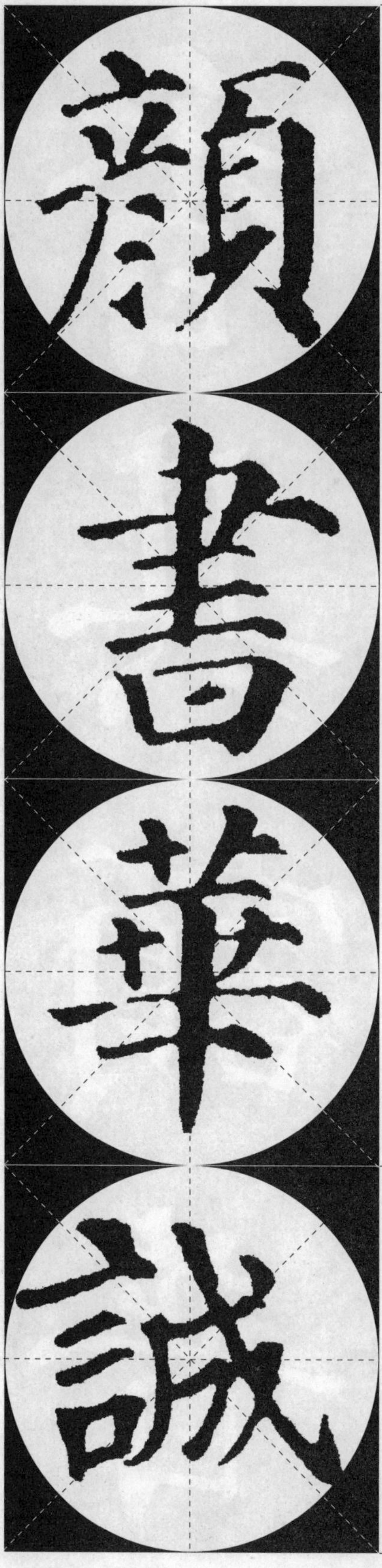

不一样，只要感觉上和谐、稳当就可以了。

## 结构要领之二 重心稳当

把字写得平正稳当是学习书法最基本的要求。一个字也跟一个人、一座房子、一棵树一样，要稳当的话，其重心线要保持基本垂直。

## 结构要领之三 穿插迎让

一个部分的笔画伸展到另一个部分的空白当中去就叫作穿插，穿插不仅合理的利用了空间，填铺了空白，更重要的是使各部分咬合紧密，结构更加紧凑。

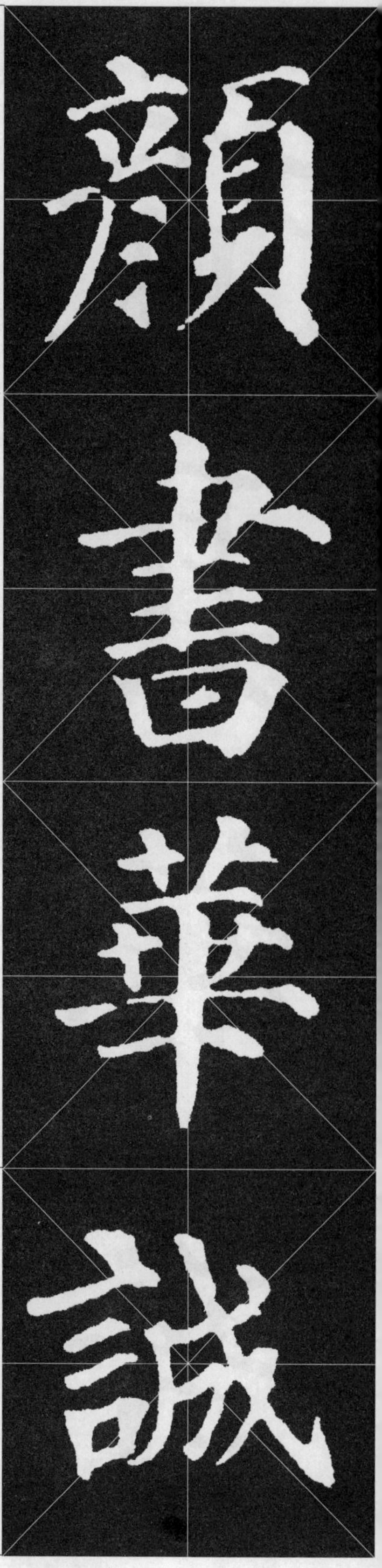

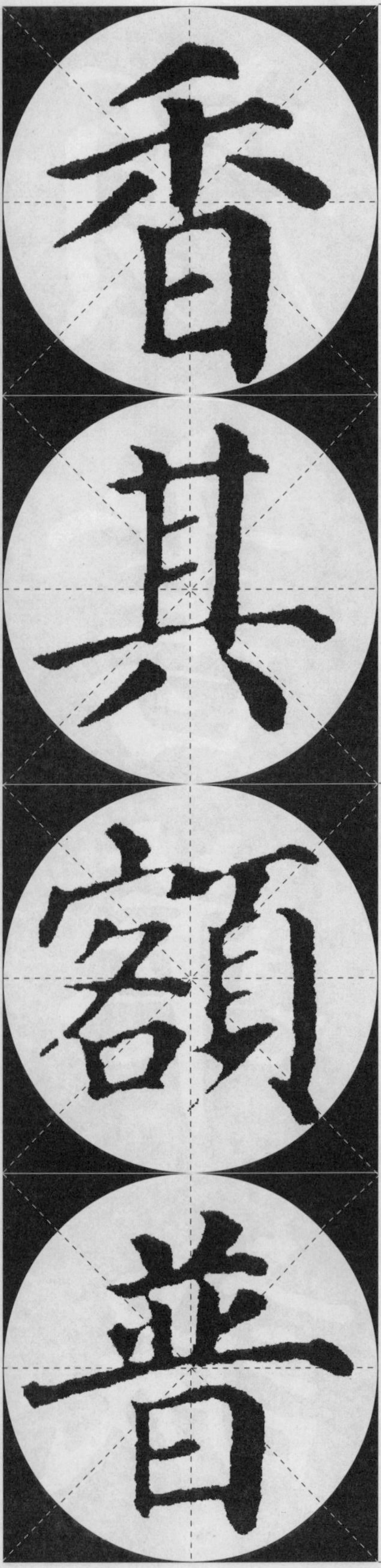

## 结构要领之四
## 计白当黑

白即没有笔画的地方，是空白。没有笔画不等于就不重要。实际上笔画和笔画之间的空白是相辅相成、互生共存的。当写出一个笔画的时候，同时也就切割了空间，出现了空白。笔画是在空白的衬托下显示出来的。写楷书字有时要巧妙的留空白。

## 结构要领之五
## 左右对称

对称即要求一个字的左右两边力量、份量基本对等。左右对称，字才能平衡。有的字左右两边笔画数量基本相等，所占田地也大体相等，写这类字首先要把握准字的中心线，以中心线为准，使左右对称。

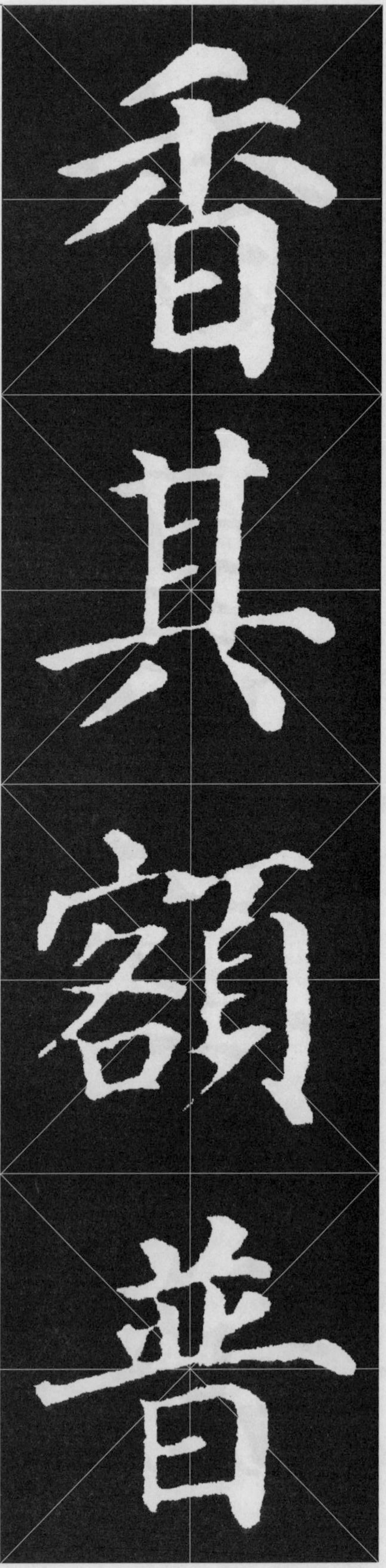

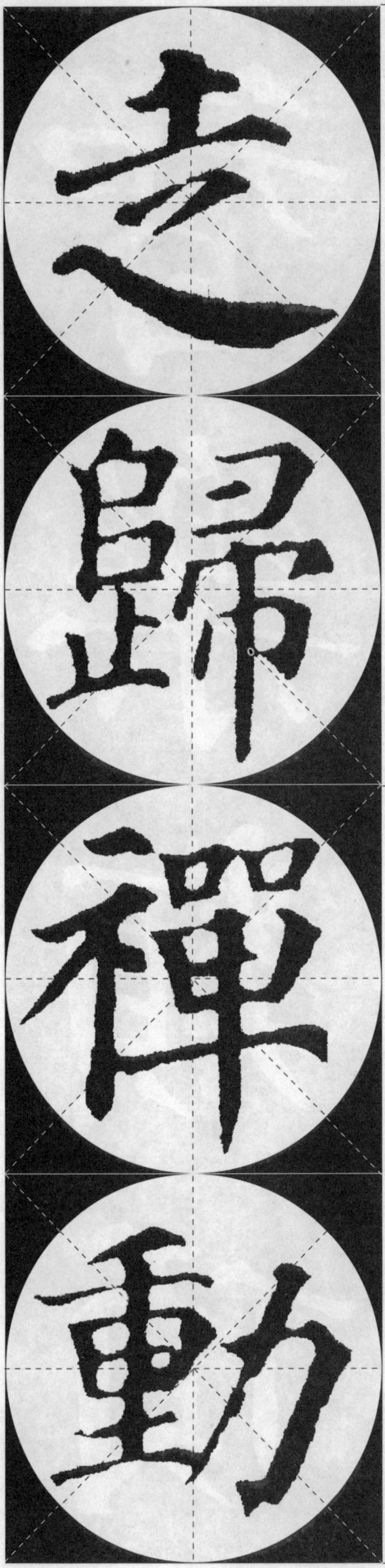

## 结构要领之六
## 有收有放

收，即收敛。放，即舒展。楷书字有的笔画要收敛，不能放纵，而有的笔画则须写得纵长一些，舒展一些。在一个字当中，应有收有放，相互对比、相互映衬。光收不放，字就拘谨，缩头缩脑。光放不收，字体乖张，张牙舞爪。

## 结构要领之七
## 轻重均衡

汉字当中，有的字本身左右两边的笔画数量、所占田地的大小均基本相同，做到均衡比较容易。而有的字左右笔画数量不等，形状大小各异，这就要调整比重，把笔画多的部分写得紧凑一些，笔道轻一些。

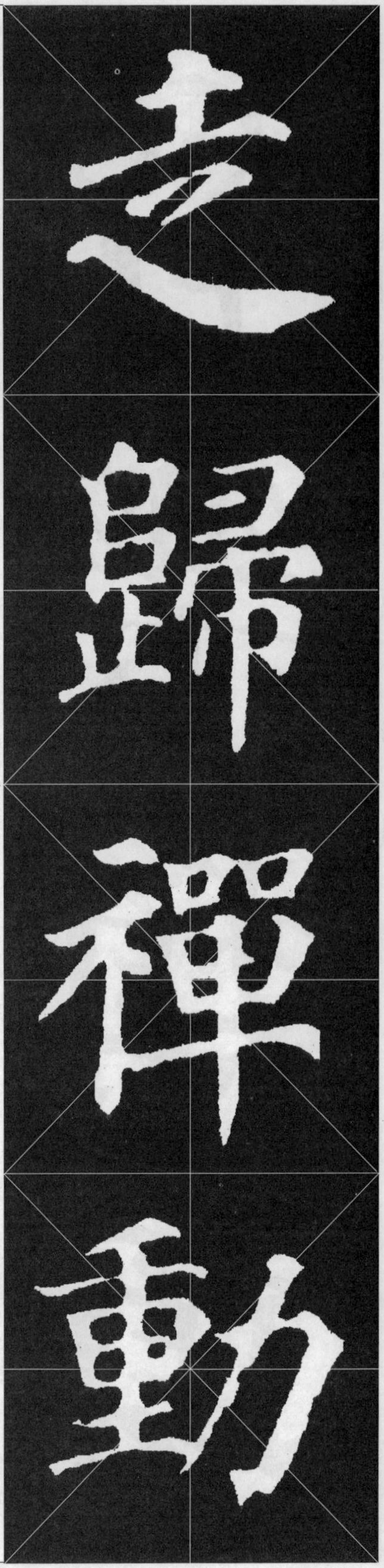

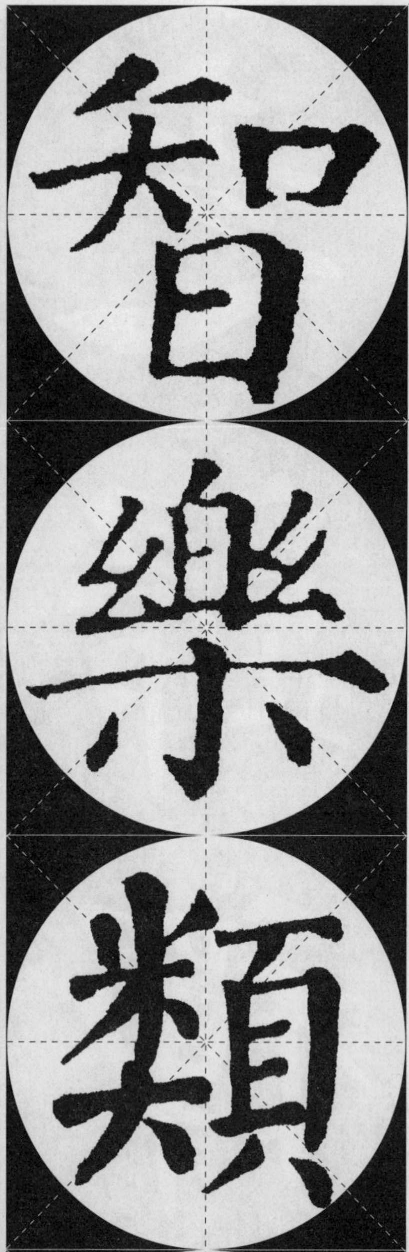

## 结构要领之八
## 比例恰当

独体字每一个笔画轻重长短各得其宜，整体造型美观。合体字比例搭配要合情合理。

## 结构要领之九
## 疏密有致

汉字的笔画有繁有简，同一个字内各部位的笔画也有多寡，故呈现出疏密变化来。

## 结构要领之十
## 匠心独运

这是一点不是要领的要领，讲的是结构安排中要注重独立创造。艺术最要讲究创新，一味的墨守成规，艺术便没有了生命力。历史上的楷书大家，在安排结构时，总有他们自己的独到之处。平常的文字在他们写来往往能灵机一动，构造出新颖别致而美观的形象来。

大唐西京千福寺多寶佛塔感應碑文
南陽岑勛撰

朝議郎
武部貟外郎琅
邪顏真卿書
朝散大夫撿

尚書都官郎中東海徐浩題額
粵妙法蓮華諸佛

塔證經之踊
現也發明資
乎十力弘建
在於四依有

禪師法號楚
金姓程廣平
人也祖父並
信著釋門慶

歸法亂母高
氏久而無姙
夜夢諸佛覺
娠是生龍

象之徵無取
熊羆之兆誕
弥厥月炳然
殊相岐嶷絶

絕於葷茹髫齔不為童遊道樹萌牙聳豫章之楨幹

禪池畎澮涵巨海之波濤年甫七歲居然猒俗自誓

出家禮藏探
經法天寶十
一載乙丑廿
二日戊戌建

勅撿挍塔使正議大夫內侍趙思侃判官內府丞車

沖撿挍僧義
方河南史
刻

唐故通議
大夫行薛

王友柱國
贈秘書少

監國子祭

酒太少保

顏君廟碑銘并序第

七子光禄
大夫吏部

尚書充禮
儀使上柱

銘陸機祠

堂之頌皆

所以發揮
祖德敷演

家聲觀其
爲無而稱

是誣也不
述豈仁乎

唐故秘書
省著作郎

夔州都督
府長安上

護軍顏君
神道碑

曾孫魯郡
開國公真

祖字遠齊

御史中丞

一慟而絶
事見梁齊

周書曾祖
諱恊梁湘

東王記室
口故君之

張類銀頂
淚娃混忍
彭詩南財

題精暢聯
樂秋爲便
最能重起

煙
悲
胞
德

許
熱
接
圓

該
拜
學
張

語深國解
批將想照
間指敢微

持之以恒

水到渠成